懶懶

1

陽菜檸檬

大家好，我是丸山成美。
是個24歲的派遣員工。
該怎麼說呢，
其實這是我的偽裝。

真正的我
其實是懶散星人，
輕輕
鬆鬆
懶懶山散散美，
外號懶懶。
懶懶
散散

大家知道懶散星人嗎？
不知道吧？我想也是。

因為各位身邊沒有這種人嘛，就算有也都做好了擬態。
哇！
因為身邊要是有這種東西跑來跑去，大家肯定會嚇一跳吧。

所以啊，本人每天擰開水龍頭，
都要做很多努力，好讓自己看起來像個普通人。

早上起床先洗香香，用名為洗髮精的東西洗頭髮。
也會用吹風機吹乾頭髮喔。

最近居然還學會了化妝。
可是總覺得好不舒服，所以三天打漁兩天曬網。

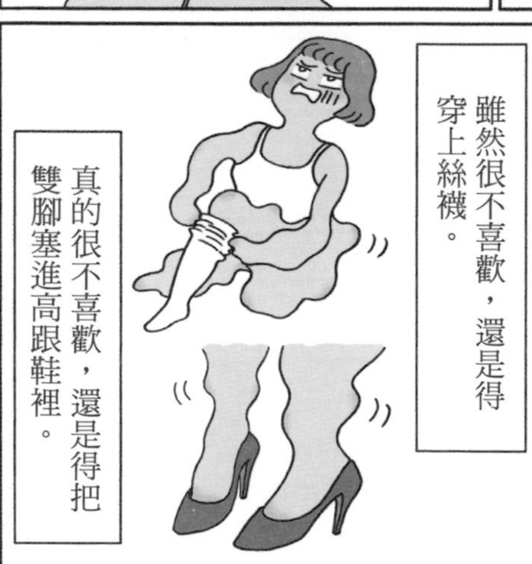
雖然很不喜歡，還是得穿上絲襪。
真的很不喜歡，還是得把雙腳塞進高跟鞋裡。

瞧～～
派遣員工丸山
成美大功告成。

嗯……不
是我自誇，
擬態得真
完美！

一派輕鬆地刷
卡進車站，
邊用手機聽音樂。
嗶

檢查今天的星座運
勢和新聞的樣子，
看起來就跟真的24歲
上班族一樣不是嗎？

哼 哼 哼

多虧我完美的擬態，
公司裡沒有人發現我是懶散星人。
丸山小姐，這個請幫忙影印！
啊，好的。
我會影印。
用力壓
用力壓
丸山小姐，可以幫我倒茶給客人嗎？
好的。
我也會用茶葉泡茶喔。
成美成美，妳聽說了嗎？
聽說課長和秘書課的內山小姐經常兩個人一起去喝酒，是不是很可疑？
也會跟大家一起聊八卦。
肯定是婚外情喔，婚外情！
可是一旦太累，
就會偷偷
休息一下。
懶懶
散散
輕輕
鬆鬆

可是為何懶散星人要假裝成人類呢？
有什麼目的？
快點回懶散星球不就好了嗎？

大家可能會這麼想吧？
說的也是，真不可思議。

可是啊，不好意思，我也不清楚
為什麼我會誕生在地球。

我有個
非常普通的人類父親，
和一個超級平凡的人類母親。

母親看到剛生下來的我，
哎呀！
只說了這麼一句話。

我的哥哥姊姊都是正常到不行的人類，
所以大概連媽媽也沒料到生下他們以後，
居然會生出我這個懶散星人。

大我兩歲的姊姊有時候會不解地看著我，
然後馬上移開視線。
大我四歲的哥哥則是根本當我不存在。

媽媽每次看到我的樣子都會嘆氣。
爸爸……不好意思，我不記得了。
因為他幾乎都不在家。

但即便是這樣的我，
直到幼稚園都還過得很快樂。

真正遇到考驗是上小學的時候，
那真是……
往事不堪回首啊。

因為我是懶散星人，光是要乖乖坐在椅子上就不是一件容易的事。
所以經常挨罵。

也經常被周圍的小朋友嘲笑，
不是被瞪，
就是被扔石頭。

於是我漸漸發現了，
懶散星人似乎

與這個世界的人類
有點格格不入。

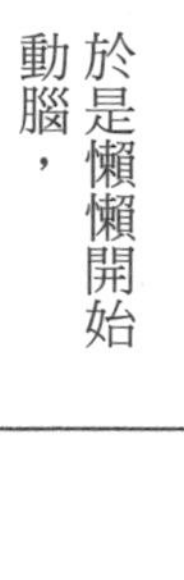
於是懶懶開始動腦，

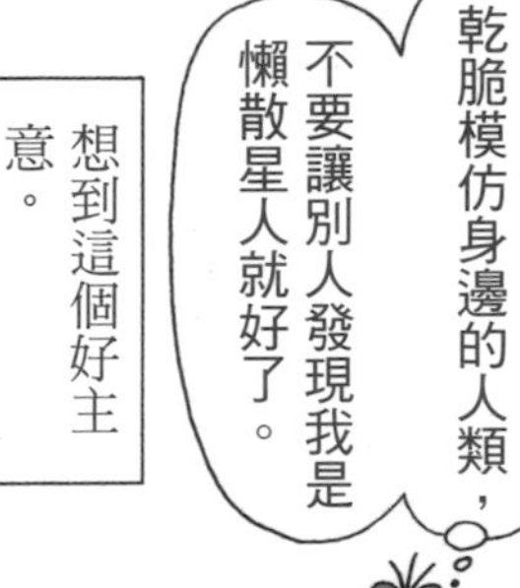
乾脆模仿身邊的人類，不要讓別人發現我是懶散星人就好了。
想到這個好主意。

在那之後真是累──死我了。
呃……
小公主
小公主
拚命觀察四周的女孩子，
小公主

拚命學習，拚命學習。
這件洋裝好好看！
不覺得○○同學很帥嗎？
洋、洋裝好好看。
○○同學很帥。
比起課堂上教的知識，吸收這方面的知識對懶散星人來說才是人命關天的大事。

然後在努力學習的過程中，
啊，那件洋裝好好看。
○○同學很帥耶！
我總算學會看起來像個普通女生的打扮和動作。

不過話說回來，幸虧有多年的努力，
擬態也很完美了，只是
啊 丸山小姐 辛苦了～
……模仿得太過頭，常常
辛苦了。
妳聽我說，昨天啊——我找到一家鬆餅很好吃的店喔——
下次一起去吧——
哦——真的嗎？我好想去～～好期待～
連自己到底在想什麼，
明天見
有時候都會搞不懂。
呼——
啊～
好輕鬆啊～
輕輕鬆鬆
懶懶散散

習慣真是件
可怕的事，
即使是一開始因為太緊張而
失敗連連的上班族生活，
隨著時間過去，了解
自己扮演的角色後，
也變得很習慣了，
如今還會在桌子底
下偷懶，恢復原形。
說到我在公司
扮演的角色，
無非是
早上第一個進公司替大
家打掃辦公室和倒垃圾，
幫忙設定咖啡機，
嗒嗒
嗒嗒
嗒
收集大家的差
旅證明和發票，
打成報表
送到會計室。
可燃
不燃
處理、搬運各式
各樣的文件，
如果有人開口，
還得幫忙泡茶
倒咖啡，
回家前清洗咖啡壺，
消毒抹布，
準時下班。

只要這麼做，公司這個地方
就會給我一個容身之處。
嗶
抱歉，丸山小姐，這個急著要，請妳影印50份。
好。
壓壓壓
壓壓
壓壓
壓
印好了。
哦，謝謝。
辛苦妳了。
……太好了。
只要這麼做，
就可以活下去。
……懶懶，
可以活下去。

就算是我，
小跳步
也有容身之處。
丸山小姐，我們要使用B會議室，麻煩妳泡15杯茶。
呵呵呵呵呵呵呵呵
好的。
抱歉，這些可以幫我寄一下嗎？這是收件人的名單。
啊，好的。
我下禮拜要出差，可以幫我訂時間剛剛好的新幹線車票嗎？靠窗座位。
好，包在我身上！
最好是12點到的新幹線。
倒茶
倒茶
倒茶
砰！
寄信
寄信
寄信
車票訂好了嗎？
啊，還沒。
那還是改訂靠走道的位置好了，我最近很頻尿。
好的。
靠走道的車票。
哦，謝啦！
來幫忙整理會議室！

知道規則，
知道任務，
有可以扮演的角色
是一件好事。
所以懶懶
很喜歡這裡。
丸山小姐，這個
影印好了分給大家。
好的。
澤井先生歡迎會的邀請函
各位
作辛苦了。
這次將為九月進公司的澤井先生舉
辦歡迎會，時間地點如下所示。
請各位撥冗回覆要不要出席。
11月10日（五）19：30～
地點：居酒屋「喜樂」
費用：4,500元

老實說
我非常

我非常
非常非常

不習慣這種場合。
七嘴
八舌
七嘴
八舌
有說
有笑

偷瞄
哈！哈！哈！哈！
啊～
平常總是很認真、很安靜的部長
哈哈哈哈
部長，你喝太多了。
笑得好大聲。
溫柔而細心地教我工作的課長
話說回來～我啊～
是是。
一開口就是發牢騷。
我不清楚

這時候要扮演什麼角色。
……懶懶
該做什麼才好……
偷瞄
討厭啦～才沒有這回事呢～
啊哈哈哈哈哈
討、討厭啦～沒有這回事。
丸山妹妹，妳有喝嗎？
啊，有啊。
業務部的杉田先生平常都叫我「丸山小姐」
丸山小姐，請給我茶。
欸～明明都沒有減少嘛～
啊，不會喝？不會喝酒嗎？
……討
討厭啦～
才沒有這回事呢～
啊哈哈哈哈哈哈哈哈哈哈哈哈哈哈哈
……笑了……
剛才的反應……
看樣子是對的……
很好～多喝一點

妳啊，
還這麼年輕，
應該多喝一點。
討厭，才沒有這回事呢～
啊哈哈哈哈哈哈哈哈哈哈
只要保持這種狀態，
這個人的心情就會愈來愈好。
丸山妹妹啊，
看起來很迷糊的樣子！
我在杉田先生面前搞砸過什麼事嗎……？
肯定有吧，
誰叫我是懶懶呢。
成美可好了～
變成成美了。
做什麼都會被原諒～
討厭～才沒有這回事呢～
哈哈哈哈哈哈
你只會回這句話嗎？
杉田先生笑了，
所以這樣應該沒錯。
總覺得……
可是，
不妙……
快變回懶散星人了。

感覺她好像在瞪我……
咦……
那位是會計部的佐藤小姐。
是我的錯覺嗎？
我做了什麼嗎？
啊，難道她發現我是懶散星人了？
不妙……
我得小心一點才行。
啊！
佐藤小姐走過來了。
好可怕，我得好好表現。
丸山小姐，
咦？
啊！有、有！
回家了。

咦……
這是
……怎麼回事？
為什麼我現在
會和佐藤小姐一起離開聚餐的會場。
為什麼……
雖然不曉得為什麼，
但我好像惹她生氣了……
丸山小姐。
有、有！
對、對不起！
為什麼？
咦？
為什麼要道歉？
呃……
因為……

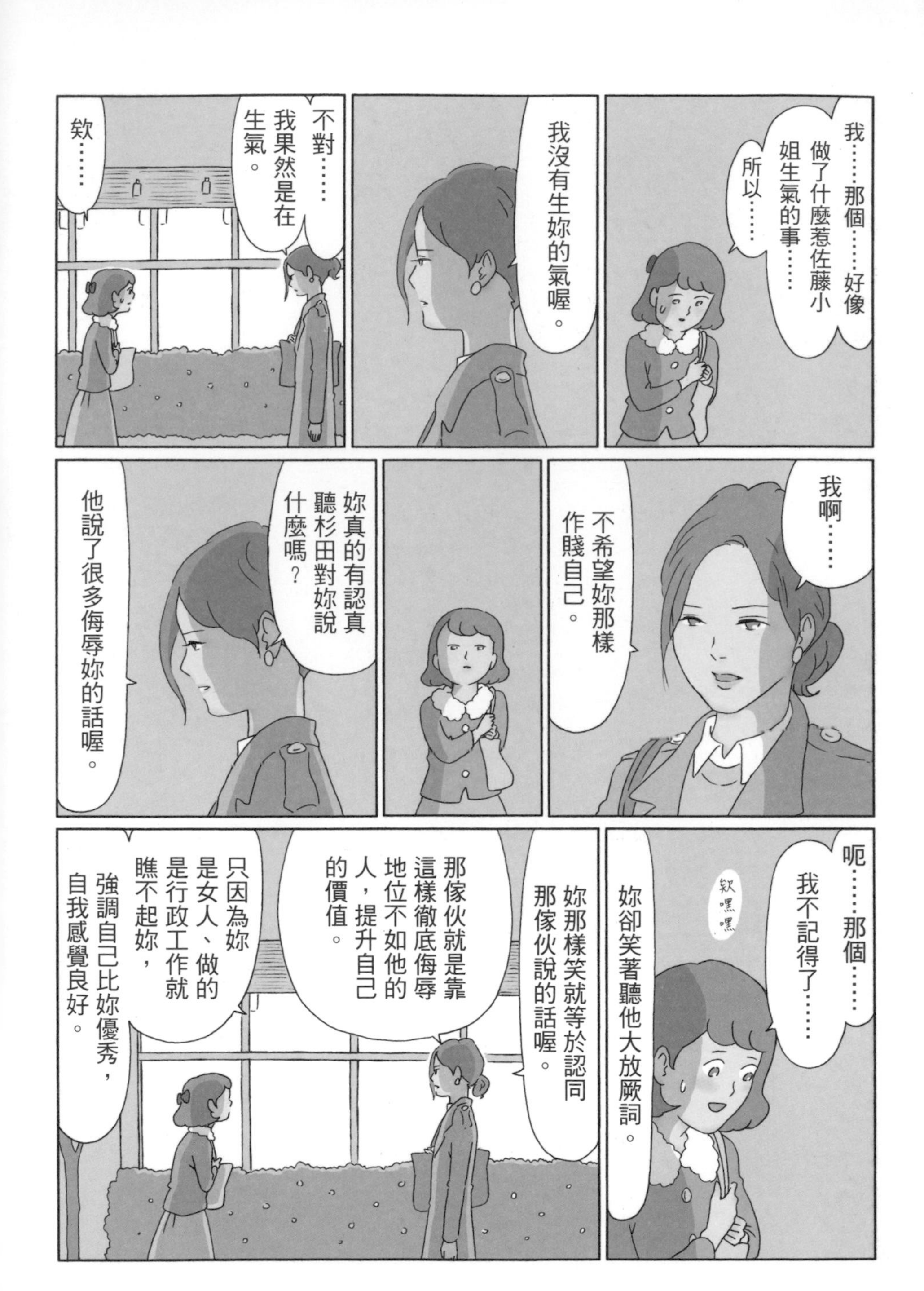
我……那個……好像做了什麼惹佐藤小姐生氣的事……所以……
我沒有生妳的氣喔。
不對……我果然是在生氣。
欸……
我啊……
不希望妳那樣作賤自己。
妳真的有認真聽杉田對妳說什麼嗎？
他說了很多侮辱妳的話喔。
呃……那個……我不記得了……
欸嘿嘿
妳卻笑著聽他大放厥詞。
妳那樣笑就等於認同那傢伙說的話喔。
那傢伙就是靠這樣徹底侮辱地位不如他的人，提升自己的價值。
只因為妳是女人、做的是行政工作就瞧不起妳，
強調自己比妳優秀，自我感覺良好。

而妳卻
笑著迎合
那傢伙的自慰行為。

我實在看不下去……
忍不住問妳不要一起走。

如果造成妳的困擾，我向妳道歉。
不會……那個……
可是啊，

對於那些踐踏妳尊嚴的人，
不可以那樣笑著迎合喔。

輕易附和對方說的話，
只會被對方牽著鼻子走。

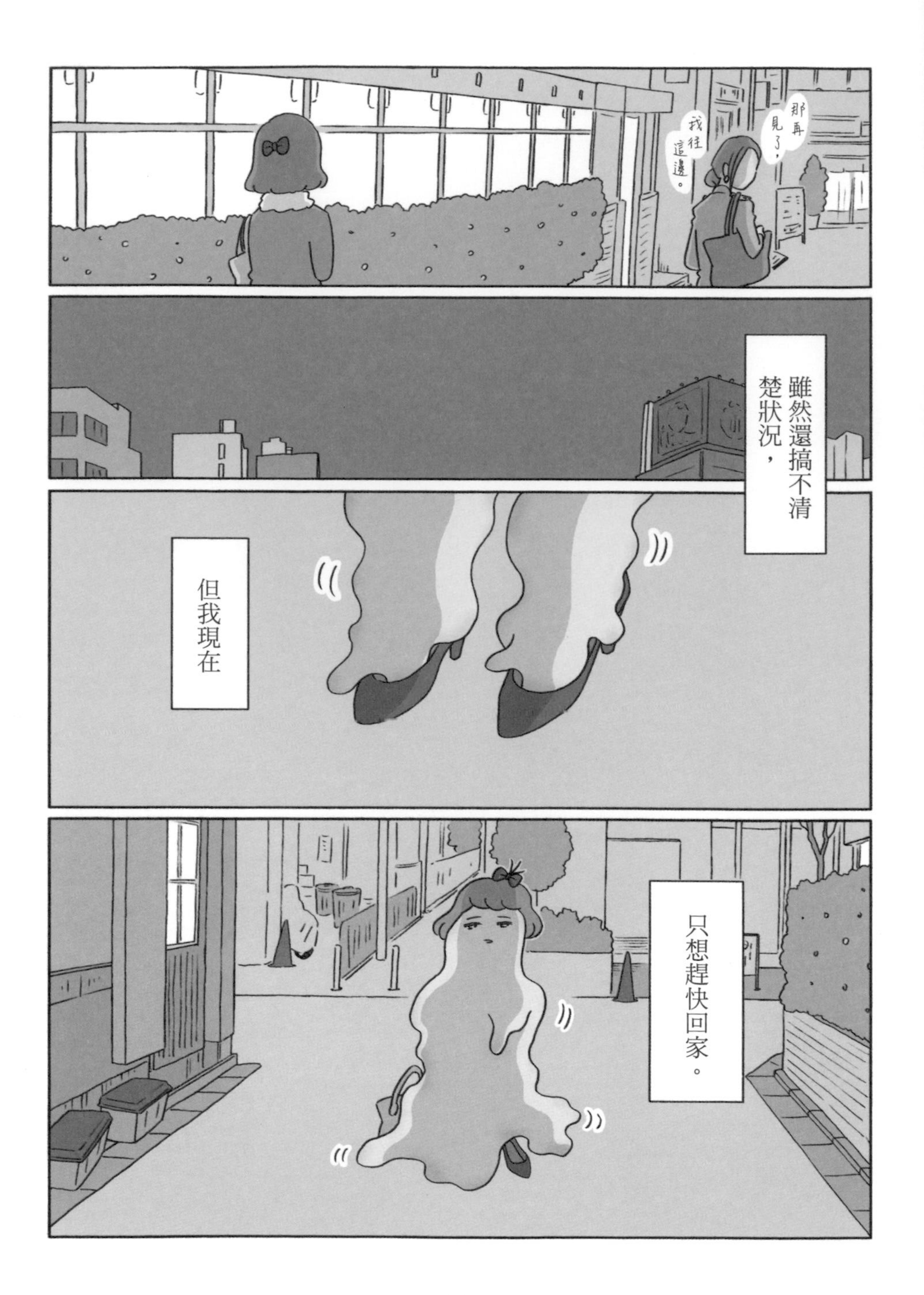
那再見了，
我往這邊。
雖然還搞不清楚狀況，
但我現在
只想趕快回家。

為什麼？
為什麼？
為什麼？
為什麼？
為什麼？
平常明明沒說過幾句話，
佐藤小姐憑什麼那樣說我。

害我感覺自己是世上最可悲的人，
感覺自己好像變成一條髒抹布。
結果我完全想不起來
杉田先生到底說了些什麼。
應該沒有……
應該沒有那麼過分。

杉田先生笑得很開心，
我看到他笑也覺得很開心。
這樣就好了，
這樣有什麼不好。
高高在上……
狗眼看人低，
沉醉在優越感裡的人，
其實是佐藤小姐吧？
一直以來，
我總是擔心自己被別人討厭，
從來不曾討厭過任何人。

第一次討厭
的人，
不是杉田
先生，
而是佐藤小姐。

啊，丸山妹妹，
早安！
昨天沒怎樣吧？
我喝太多了，什麼都想不起來。
杉田先生在公司裡
也開始叫我「丸山妹妹」。
當然沒事啊！完全沒問題喔！
真的嗎？我沒有說什麼難聽的話吧？
完全沒有
哈哈哈哈那就好～
對了……
我有個好主意。

我要愛上這個人，
這麼一來，
這麼一來佐藤小姐
就會知道是她錯了。
必須讓她……
必須讓她知道，
用那種眼神看我是不對的。
欸，那下次啊，
小聲
要不要一起去喝酒？
當作是彌補我昨天的失態。
我想了一下才答應，
但我沒有意識到
想那一下的空白代表什麼。

好啊，我想去。
咦，真的嗎？
那給我妳的LINE。
看到我們親密說話的模樣，
佐藤小姐難過地移開視線。
呵呵呵呵呵……
我贏了。

哈囉，久等了。
工作辛苦了。
不知道有沒有被公司裡的人看到，緊張死我了。
因為多得是愛嚼舌根的傢伙嘛！
呵呵，
說的也是。
這是我第一次仔仔細細地盯著男人的臉，
我想這個人的笑容
大概還算可愛。
……別擔心，別擔心。
那好，走吧。
碰
別擔心，
我一定
一定能愛上他。

在住商混合大樓地下室
啤酒一杯390元的居酒屋裡，
杉田先生花了好幾個小時
海鮮ホイル焼
肉味噌もやし
穴子の天ぷら
生ビール
本日のオススメ
向我抱怨工作上的不滿。
真是一群笨蛋，頭腦明明就很差，命令我的時候倒是跩上天去了。蠢斃了。
第一次
第一次和男人單獨吃飯，
雖然非常緊張，

但是為了挫挫
佐藤小姐的銳氣，
我有一股不可
思議的使命感。
必須傾聽……
必須傾聽這
個人發牢騷，
大概
這就是我
的使命。
這真是……
這真是太
難為你了。
真的，
就只有成美
能明白我的心情！

看吧，
佐藤小姐，
走著瞧，
這個人需要我，
肯定沒錯。

我沒有錯，
我才是對的。

驚
碰
肩膀下意識地驚跳了一下，
我拚命假裝這沒什麼大不了。

不能讓杉田先生
以為我討厭他。
否則肯定會
傷到這個人的自尊。
時間差不多了，
我們走吧。
走到店外，杉田先生牽我的手。
對我而言，這個動作
代表「妳做得很好」，
是在表達對我的讚賞。
拉住

這裡是
做什麼事情的地方，
就連我
也不是一無所知。

也知道
總有一天
自己一定得面對
這個問題。

知道總有
一天
一定要經歷這一切。

關門
那一天就是
今天。

雖然從來沒有想像過，
我洗好了，
換妳去沖澡吧。
但還是拚命按住幾乎要從嘴巴裡跳出來的心臟，
曖昧地微笑。
我告訴自己
不要緊……
這種事沒什麼大不了，
人遲早都要經歷這一切。
只是剛好是現在而已。
大家都在做，
沒什麼大不了的。

欸，騙人！
妳是第一次嗎？
那個，果然……
我還是不行。
推開
什麼嘛，
別擔心啦。

不行。
來嘛，
到這邊來。
不行，
已經
不行了。

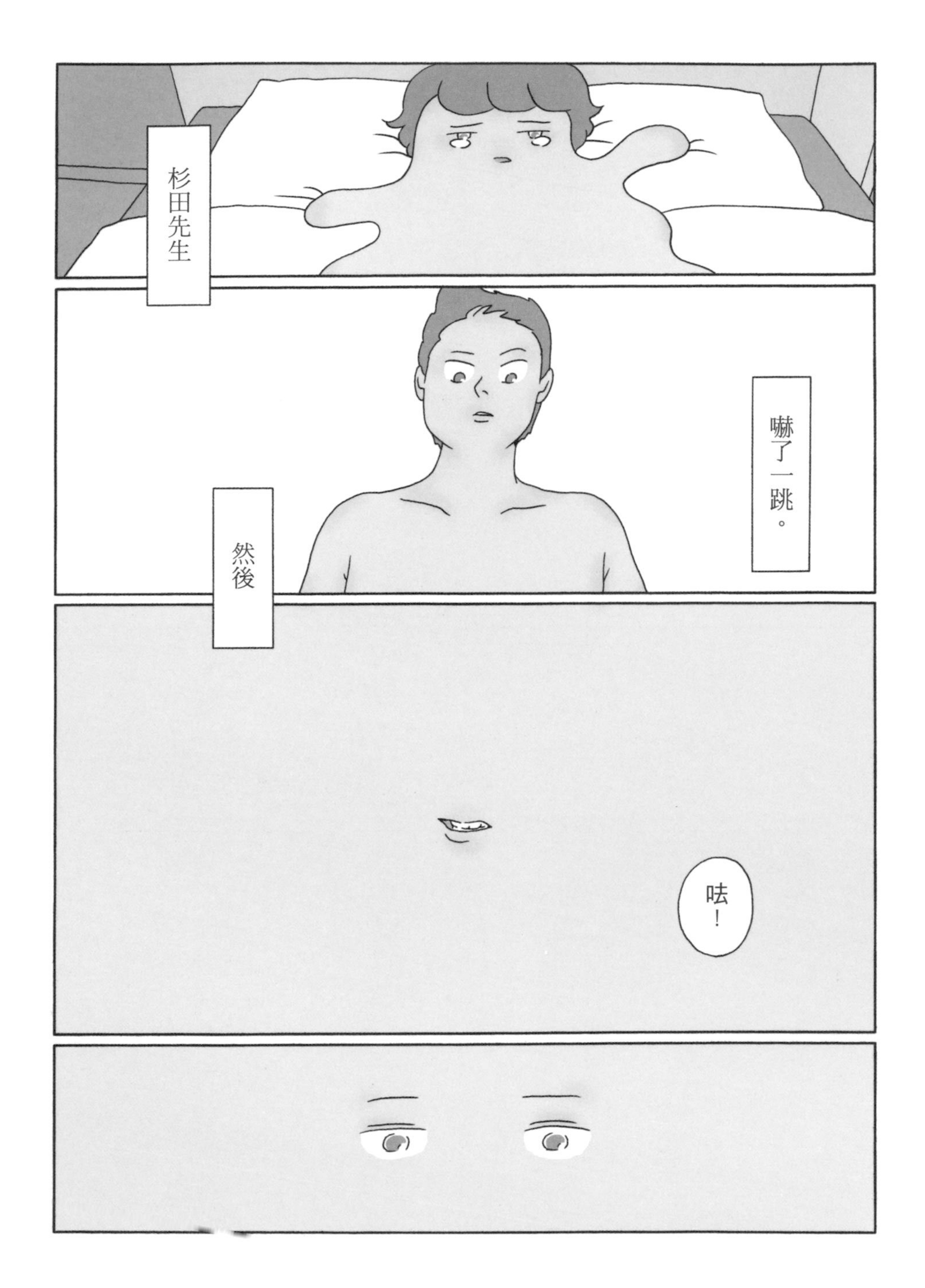
杉田先生
嚇了一跳。
然後
呿！

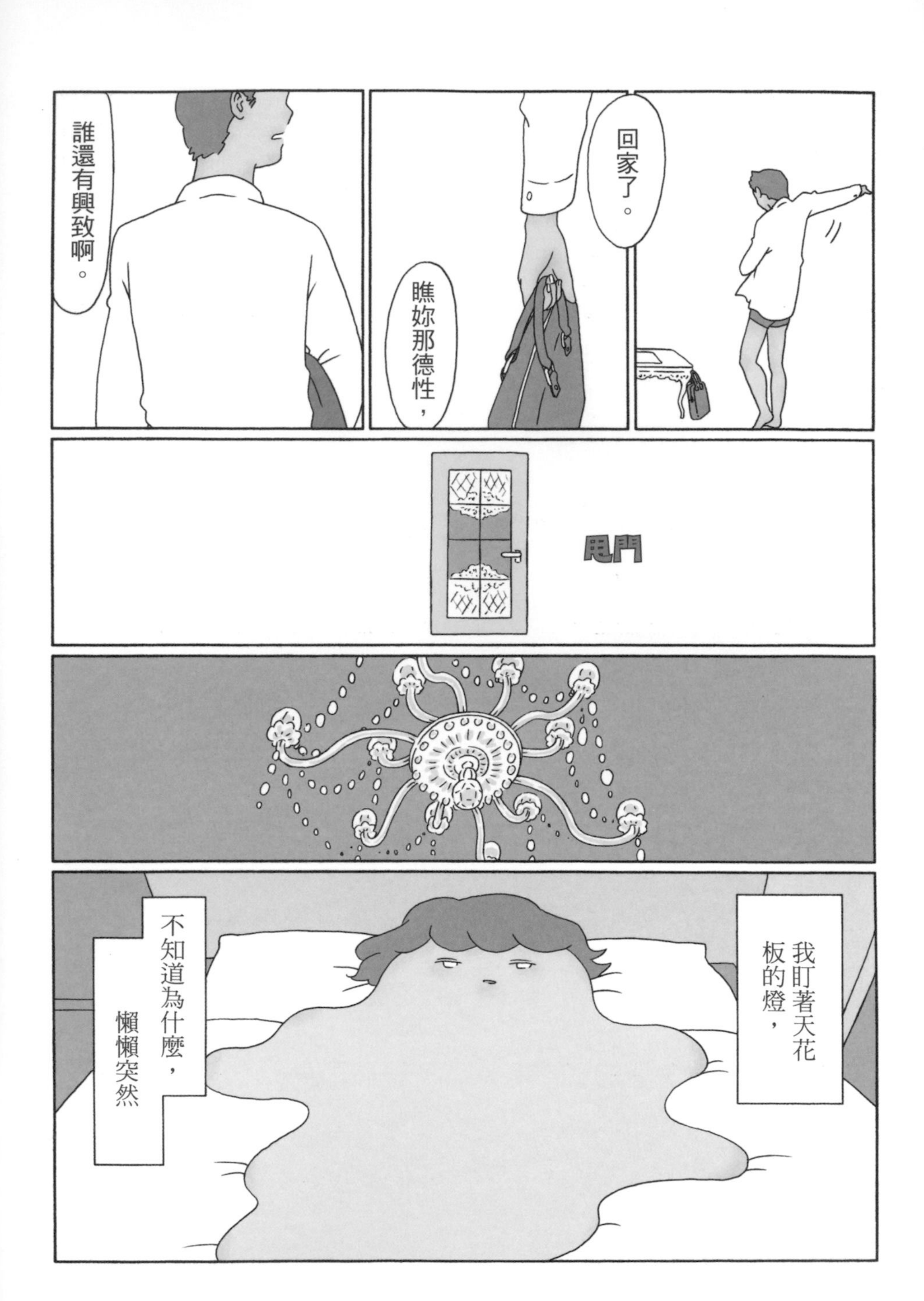
回家了。
瞧妳那德性，
誰還有興致啊。
甩門
我盯著天花板的燈，
不知道為什麼，
懶懶突然

覺得好想笑。
啊哈哈哈哈哈哈哈哈
啊哈哈哈哈哈哈
哈哈哈哈哈
唔呵呵呵呵呵呵
咯咯咯咯咯
哈哈哈
哇哈哈哈哈
笑到不能自已。

笑完以後就一直躺著不動，
燈光也是粉紅色……
思考著無關緊要的瑣事。
我連髒抹布也稱不上……
就像……
根本沒人要的廚餘。
我不禁這麼想。

無論再怎麼傷心，

再怎麼寂寞，
再怎麼懊惱，
再怎麼想尖叫，
就算心痛欲裂，
就算火冒三丈，
就算極度厭世，
就算不知所措地想流淚，覺得全世界只剩下自己一個人，
天還是會亮，

咬下
還是會餓。

……
心情真是惡劣到極點。
推—
沙
啪噠啪噠
關門聲
坐下

咻～
吸
咀嚼
咀嚼
咀嚼
請問……

妳在看
什麼？

是詩集，

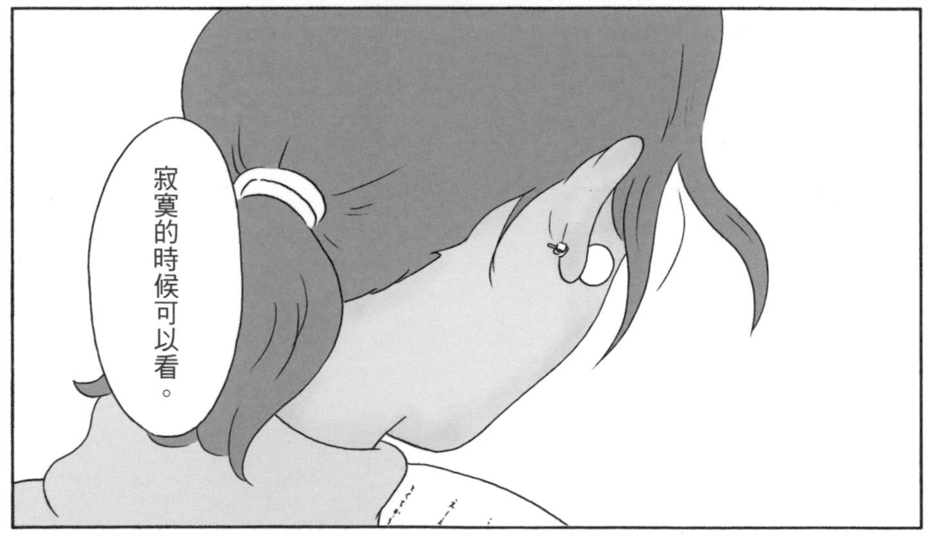
寂寞的時候可以看。

那……
那……
我想看。
闔上

借給妳吧。
那是本灰色的書，
封面是薄薄的布。
裡面是散落著

一篇篇短詩的詩集。
在寫什麼……
完全看不懂。
想是這麼想，
但我還是一而再再而三地
閱讀這本溫柔又寂寞的書。

喂～杉田！
怎麼？那小子還沒回來嗎？
他昨天也直接回家，沒有進公司喔。
搞什麼嘛，那小子現在肯定正優雅地喝下午茶吧。
啊，這麼說來，他上次說他累積了很多咖啡廳的點數。
我說吧，果然沒錯，一定正在偷懶！
業務員好好噢，真自由。
啊哈哈哈
糟了，
好想吐。

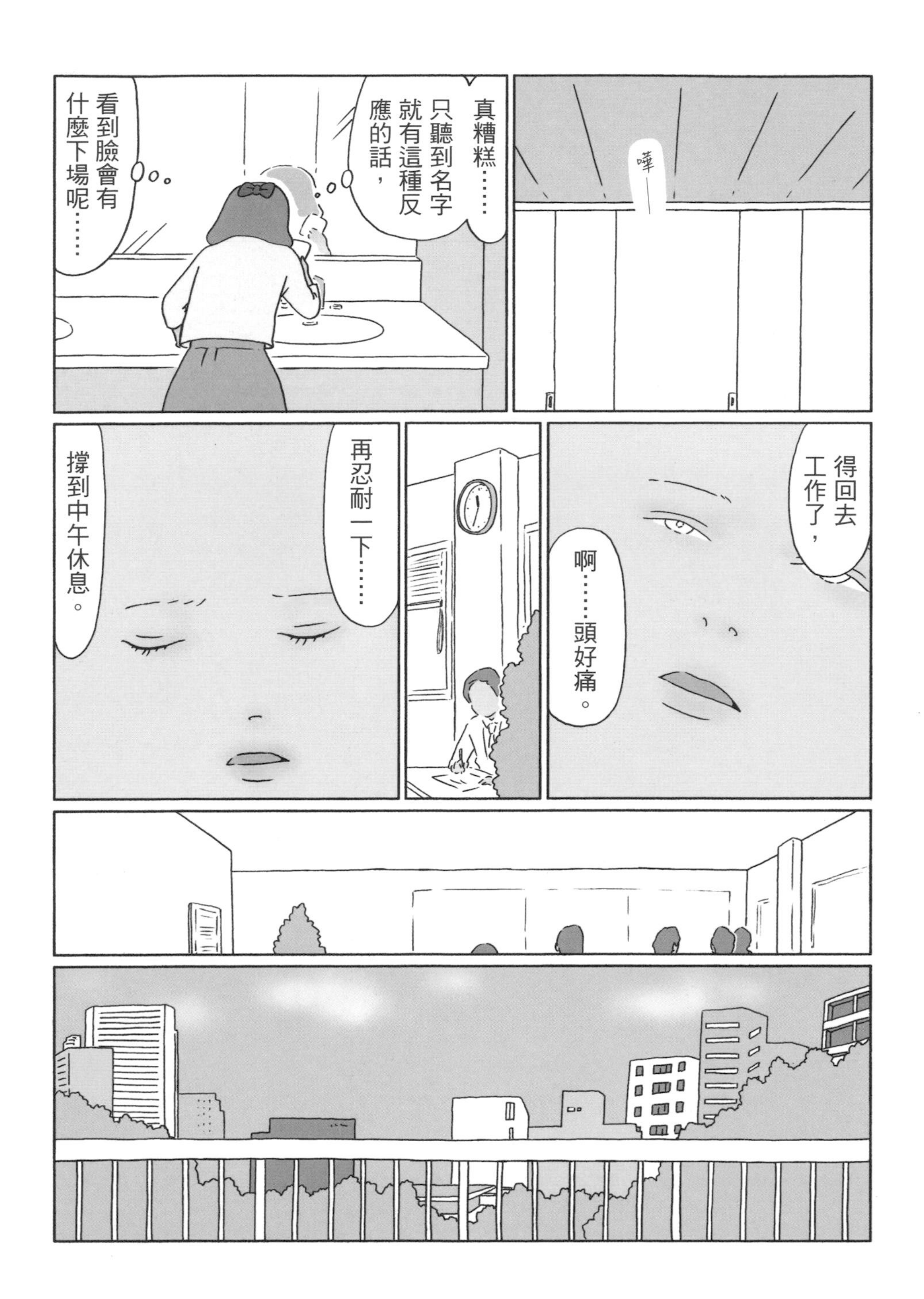
嘩——
真糟糕……
只聽到名字就有這種反應的話，
看到臉會有什麼下場呢……
得回去工作了，
啊……頭好痛。
再忍耐一下……
撐到中午休息。

我……
這份工作還做得下去嗎……
推開
沒事吧？
啊，嗯，還好，
我沒事。
看妳身體好像不太舒服……
沒有，真的沒事。

臉色很難看喔……
沒事，我一直都這樣，真的。
可是妳剛才明明都躺下去了。
沒事，我只是有點睏，但是已經不要緊了。
真的嗎？
真的，我真的不要緊。已經不睏了，完全不要緊。
這樣啊，那抱歉了。
上次也是，
抱歉。
咦？
我想我可能說了什麼不該說的話。
沒有……

我啊……
以前
像丸山小姐這麼年輕的時候，曾經跟一個很像杉田的男人交往過。
那是個喜歡以貶低女人或弱者為樂的癟三。
永遠只想到自己，
稍微不如意就氣得跳腳，
雖然不至於動手打人，但說的話都很過分。
經常三更半夜叫我過去，我就得飛奔而去。
萬一睡著沒聽到電話，就會被罵得狗血淋頭。
害我只好握著手機睡覺，隨時處於緊張狀態。
如果這樣還是不小心睡著了，就會被他罵到天亮，數落我不成體統。
喂！妳這八婆給我接電話！妳知道我是以什麼心情打電話給妳嗎？本大爺好心聽妳說話，別浪費我的時間，妳這個王八蛋！
有時候整夜都沒得睡，只能頭昏腦脹地去上班。
儘管如此，我還是認為自己很幸福。
我沒交過男朋友，對自己也沒有信心，所以光是有人願意喜歡自己，我就覺得很幸福了。
世界上還有很多人交不到男朋友，所以我已經很好命了。
當時我真的這麼想。

可是啊，
我懷孕了。
他比我大兩歲，但是在公司還是新人。
說他現在還不想結婚，
要我打掉。
我也是笨蛋，一直告訴自己
只要照他說的去做，就能得到幸福，因為我們非常相愛。
結果我們交往五年，
我墮了三次胎。

第三次墮胎手術前，醫生說
這次如果再墮胎，以後就再也不能懷孕了。
我說沒關係，還是拿掉了孩子。
動完手術後，我躺在床上
哭得聲嘶力竭。
這輩子再也沒有那麼悲傷的時刻，
我大聲地哭泣尖叫。
他根本不肯陪在我身邊，所以我一直是孤零零的一個人。
一直哭，一直哭，哭到淚水都乾了。
這時我終於明白，
他根本不愛我。
不僅如此，
我其實
也不愛他。
我終於明白這一點。

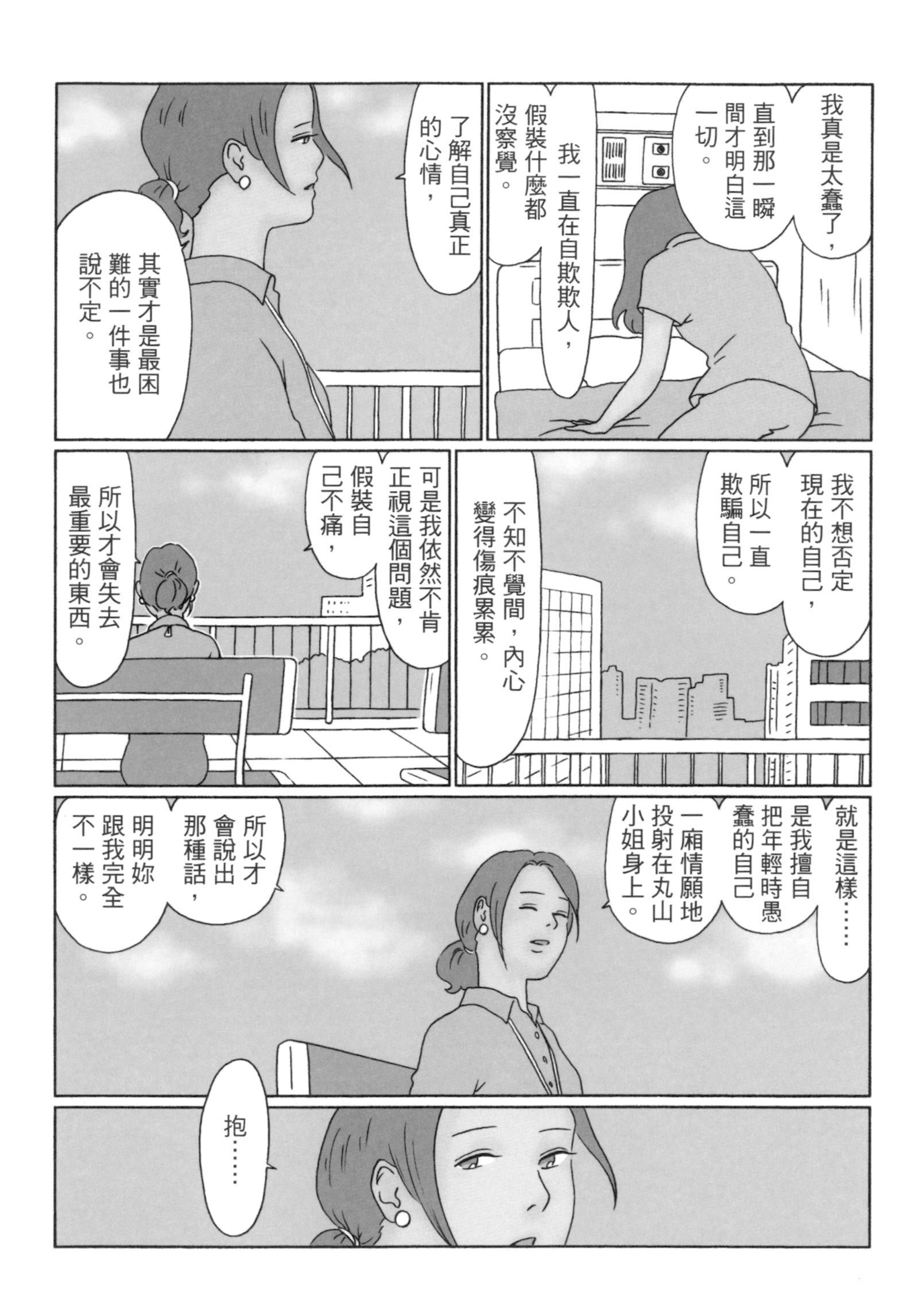
我真是太蠢了，
直到那一瞬間才明白這一切。
我一直在自欺欺人，
假裝什麼都沒察覺。
了解自己真正的心情，
其實才是最困難的一件事也說不定。
我不想否定現在的自己，
所以一直欺騙自己。
不知不覺間，內心變得傷痕累累。
可是我依然不肯正視這個問題，
假裝自己不痛，
所以才會失去最重要的東西。
就是這樣……
是我擅自把年輕時愚蠢的自己一廂情願地投射在丸山小姐身上。
所以才會說出那種話，
明明妳跟我完全不一樣。
抱……

歉……
淚如雨下
淚如雨下
突然想到「必須保持正常」，
想是這麼想，
我的身體卻不聽使喚。

腦中響起
咗！
杉田先生不屑的嘖舌聲。
瞧妳那德性，
誰還有興致啊。
這種德性……
是什麼德性？
站起

抱住

我……
我……
淚如雨下
我……
別說了。
嗚～
嗚～
嗚～
不用再說了。

又過了一陣子，杉田先生
沒說一句話就辭職了。
所以是怎樣？
換工作？
咦？我聽說是回故鄉？
管他的，反正也不重要。
那傢伙討厭死了。
是嗎？我跟他一點都不熟。
一開口不曉得在跩什麼。
哼！
不過那種討人厭的大叔走到哪裡都會碰到。
對了，今天好想吃肉。
欸，要不中午就去吃吧？
這樣身上會充滿烤肉味耶。
欸
哈哈哈
去嘛
去嘛
喀嚓
呼——

喀噠
喀噠
喀噠
丸山妹妹，
這是這次的單據，
麻煩妳了。
好的。
在那之後不知怎地，
總覺得男人好可怕。
不過

嘰－
呼－
累死我了。
終於熬到
中午了！
今天也原形畢露呢。
對呀。

懶懶我
有生以來
第一次
交到朋友了。

門要關了，
請注意安全。
女性専用車
Women Only
啊！不好意思，
我要上車。
啊，
妳不上車嗎？
不用……
謝謝。

中午要吃什麼？
啊！我要和部長出去。
真的嗎？
哦，
嗯。
關門聲
嗨，
早安。
早安。
早安。
早啊，丸山小姐。

丸山小姐，這是代墊的請款單。
啊，好的。
部長，請蓋章。
沒問題。
所以我就報價了
嗯
啊，抱歉，
喂，讓開啦。
哦，好。
不好意思，
借過一下。
安心
福田小姐。
哦，丸山妹妹，辛苦了。
這是費用的請款單，
麻煩妳了。
給我吧。

啊，
關於妳昨天給我的請款單，這個地方的數字寫錯了。
哇！
真的耶，對不起！
我馬上改好拿過來。
只改這裡也太麻煩了，不如重新申請一張還比較快。
好的！
真的很抱歉。
沒關係，沒關係。
數字我會幫妳改好，可以請妳送一份新的申請書過來嗎？
好的。
福田小姐，妳光是要彙整全公司的帳務就已經夠忙了……還總是幫我收拾爛攤子……
真的很對不起……
哈哈哈，別放在心上，因為我就像大家的媽媽一樣嘛。
真的！非常感謝你。
說到媽媽……我不是要說冷笑話，
事實上
我過一陣子
要開始休產假了。

所以
那位是
接我工作的
廣瀨老弟。
真是的，到了這個年紀還懷上第三胎，
連我自己也嚇一跳。
肚子本來就大，所以誰也沒發現。
啊哈哈
生老二已經是很久以前的事，我都快忘了！
我老公也超級擔心我這個高齡產婦。
哈哈
恭喜妳。

是男人……
嗯？什麼？
沒什麼……
接替福田小姐的人是個男的，
我覺得很特別。
哦，是廣瀨老弟吧？
他從以前就在這家公司，
只是一直外派在關係企業。
真了不起，工作能力很強喔。
是噢……我還以為工作能力很強的男人
都會去業務單位，
很少有年輕男人會當到行政職的主管。
這倒是，
如果是廣瀨老弟，去業務單位應該也會有很好的表現。
大概是因為他無法出去跑業務吧。

拖……
啊，
妳是……
啊，我姓丸山。
是營業二課的內勤。

哦，對對對，丸山小姐。
對不起，我下次會記得。
沒關係，
那個，這是請款單。
啊，好的。

謝謝妳特地拿過來。
啊，沒事，這是我應該做的。
那我先走了。

丸山妹妹，
這是請款單。
好的。
妳最近很少離開座位耶，
以前就算只有一張請款單也會馬上拿去給福田小姐。
啊，因為，那個——
累積一疊再去比較有效率……
哈哈哈，說的也是。
對了，福田小姐是不是正在休產假？
這是請款單，
我放在這裡了。
好的。

啊，丸山小姐，
那疊是內容有錯誤的文件，
請改好再送過來。
啊，好的……
對不起。
喀嚓
喀嚓
喀嚓
喀嚓
大小寫請統一
金額不對
會計科目是否一致？←
(需)檢查
不是我說，
真的很難相處對吧。
對呀。
跟福田小姐完全不一樣，
做事是很正確沒錯，
該怎麼說呢，
令人喘不過氣來。
我懂我懂！
感覺好像在跟機器人共事。
福田小姐會看著我們的眼睛對我們微笑，

光是那樣，工作的士氣就完全不一樣。
就是說啊。
送文件過去，廣瀨連正眼也不瞧我們一眼。
感覺好差，
是不是？
叮
感覺就是個臭男人。
啊哈哈，說得好。
我倒是不覺得感覺有多差……
只是有點……
改好了，我放在這裡。
好的。
有點難相處……
是真的。

福田小姐還不回來嗎？
產假大概一年左右來著？
啊，不好意思，還有咖啡嗎？
咦？
啊！還有，請用。
咕嘟
呼——
好了，繼續工作。
謝謝妳。
呃，
好緊張啊。
轉身

……
緊張啊……
他也會……
緊張啊……
咦？
調整格式？
沒錯，請款單的這裡
聽說要變更。
欸，哪裡？
嗯，大概是這裡。
嗯？
抱歉，我看不太懂。
是不是很難理解？
沒錯，我也看不太懂。
是說剛才，我去問廣瀨先生，
他只丟了一句：
這裡有寫。
欸，怎麼這樣，好冷漠。
不曉得他在忙什麼，
但是光靠這種有說等於沒說的一張紙。

也不肯好好說明一下，轉身就回頭做自己的事。
哈哈哈，好難相處。
真的。
可是啊，
大概不是什麼重要的調整吧？
如果是福田小姐，凡是有什麼重要的調整時，一定會看著我們的眼睛，仔細說明。
就是說啊。
有道理，那應該不重要吧。
福田小姐～
妳快回來～
哈哈哈
的確是……
很難理解。
可是……
也很難……
開口問他……

咦？
大家辛苦了。
那個，各位請留步。
我不是告訴過大家，請款書的格式要改嗎？
各位送來的請款單格式全都不對……
咦？真的嗎？
真的，填寫的欄位全部跑掉了……
欸！是嗎？
哪裡哪裡？這下慘了。
話說回來，
這個太難理解了。
既然如此一開始就應該問我……
我們問了啊！
可是你看起來好忙，都不肯仔細地回答我們。
更何況，

渾身上下寫著不要來問我的
不就是你本人嗎？
我，
我有嗎？
當然所有人都可以留下來幫你改到好，但今天是星期五，很多人都已經安排好節目了。
再加上
我們是派遣，
全部留下來的話，加班費會非常誇張喔。
你決定怎麼做？

嗯……
說的也是！
對不起。
沒關係，我來改就好了。
解釋得不夠清楚是我不對，下禮拜我會再跟大家解釋一遍。
那我們先走了
大家辛苦了

讓妳久等了！
抱歉，等很久嗎？
還好，這個
還妳。
謝謝。
不客氣。
如何？
眼淚眼淚都快要流下來了，
因為實在太感動了。

書裡的一字一句看起來都在發光。
看完這本書，感覺世界跟以前截然不同。
文字明明很簡短，
卻彷彿能孕育出一整個世界。
沒想到運用文字，
可以呈現出比文字還多的東西。
以上是我的
讀後感。
嗯，
為什麼……
為什麼會受到
這麼大的感動呢？
所謂的好詩，

其實就是寫出真實的心情。
真實的心情……
因為啊，
人的心其實很誠實。
我是這麼想的。
人生在世，指的就是活在社會上。
我們
明明很傷心還要笑，明明很寂寞還要假裝沒事，明明很懊惱還要表現得不在乎。
總是對自己真正的心情視而不見，
結果漸漸地連自己在想什麼都不清楚了。
所以，
詩裡所表達的一字一句，
都代表真實的心情，
才會如此地打動人心。
所以我喜歡詩。
我也是。
妳剛才在寫什麼？
該不會……
是在寫詩吧？

臉紅
否認
搖頭
呵呵。
不用否認，
我能明白，表達是一件很棒的事。
無論以什麼方式，
表達都是一件很棒的事。
改天見
cafe
轉頭
……

請問……
我……
我可以幫忙
修改請
款單嗎？
咦？
不用了……
我一個人就
可以搞定。
那些光靠你
一個人，到
天亮也弄不
完吧。
可是我沒辦
法付妳加班
費。
我不是來賺
加班費的。
只是……
只是單純想
幫忙。
可以讓我
幫忙嗎？

坐下
這或許
卡嚓
可是，
好緊張啊！
廣瀨先生這句話肯定是真的。
這或許不是我該扮演的角色。
可是，

我說
自己想幫忙的心情也是真的，
所以我要做。
現在
只要這樣就好了，
我是這麼想的。

偷瞄
好多……
……
文件……
好多啊。
對呀……
真的好多……

廣瀨先生今天對派遣的同事說沒關係，
但這根本就不是沒關係嘛。
噢……
不好意思……
那個……修改格式的說明文件非常難以理解。
噢……
不好意思……
該怎麼說呢，感覺像是聰明的人寫給聰明的人看……
不是任何人都能看懂的表達方式……
讓人覺得很不親切。
噢……這樣啊……真不好意思……
因為看不懂，只好來問你。
可是你看起來忙得不可開交，
大家都不好意思開口了。
噢……
這樣啊……
我們也知道你剛調過來，可能一時半刻還忙不過來。
女人對這種氣氛特別敏感，
如果你把神經繃得太緊，我們也會跟著緊張起來，所以請不要太表現出無暇他顧的感覺。
呵。

呵呵呵呵，呵呵呵呵。
咦？
呃，那個，不好意思。
太好了。
太好了……什麼意思？
不是，我剛才
還以為妳是在同情我。
我因為這雙腳，一直過著容易讓人同情的生活。
還以為這次又來了，
難免覺得自己有點窩囊。
可是丸山小姐好像在生氣，
我發現妳並不是在同情我，
真是太好了。
呵呵。
這事……
這事一點也不好笑好嗎？
哈哈哈。

說的也是，
不好意思。
既然如此，
那是為了什麼？
沒什麼……
先把眼前這座山剷平再說吧。
也對，
不好意思。
沒關係。

做完了……
已經天亮了……
甚至已經過了中午。
肚子……
咦？
肚子好餓。

不好意思，
我、那個——
我請妳吃飯。
好啊。
就讓你請客。
麺
龍
馬
福田小姐，
除了做事情很完美以外，
還很擅長營造輕鬆的氣氛，讓人敢放心說話、問她問題。
總是笑咪咪的，
盡可能不讓我們感到緊張。
是噢……
福田小姐這麼厲害啊……
可是，
廣瀬先生剛到一個新的部門，可能也很緊張。
這也是沒辦法的事，
剛好前任又是福田小姐，所以顯得落差更大。
我猜大家只是還沒反應過來，
所以才不敢接近你。
是噢……

不好意思……
可是，
那種感覺，
說不定
其實是
因為男女有別也說不定。
男女有別？
因為女人對這種
類似氣氛的東西看得特別重，
但是你是男人，所以不以為然也說不定。
那個
我有時
會這麼想，
我雖然是男人，
可是跟其他男人都不一樣。
丸山小姐雖然是女人，
但肯定也跟其他女人不一樣。
硬要塞進男人女人的框架裡，
肯定會有些地方格格不入。
因為每個人都不一樣，每個
人都是獨立的個體，
不管男人女人都是人。
因為是男人，因為是女人；
因為是正常人，因為是殘障者；
像這樣貼上標籤，
真的有意義嗎？
我有時候
會這麼想。

我的工作明明要面對許多女生，
還緊張得不知變通，
其實也是深深陷入貼標籤的迷思裡。
因為這樣……所以……因為我是男人，
不知何時才會變成能讓人放心請教的主管。
今後還請多多指教。
……
廣瀨先生……
我……
嗯？

我還想繼續跟
跟你
跟你在一起，
跟你多待一會兒。
我該怎麼辦才好？

広瀬
501
那個……

我
我想去
洗個澡可以嗎？
啊，不是，別誤會，
我不是那個意思。
忙了一整夜，全身上下髒兮兮，
如果妳不嫌棄，等一下換妳……
啊，不是，別誤會，
我不是那個意思……
去吧。
如果是這個人……

也許……
如果是這個人……

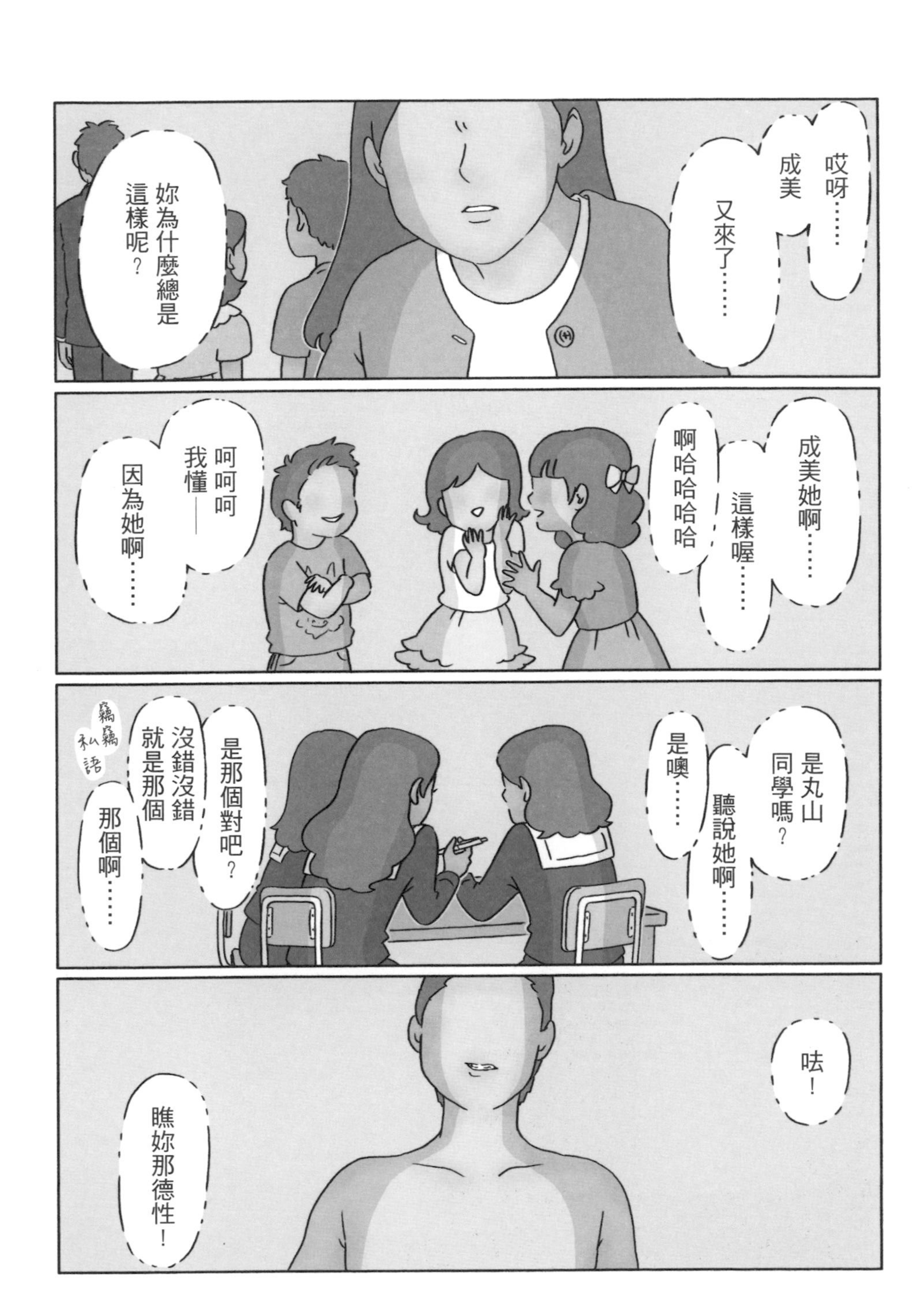
哎呀……成美又來了……
妳為什麼總是這樣呢？
成美她啊……這樣喔……
啊哈哈哈哈
呵呵呵我懂——因為她啊……
是丸山同學嗎？聽說她啊……
是噢……
是那個對吧？
沒錯沒錯就是那個
那個啊……
竊竊私語
呿！
瞧妳那德性！

啊！
為什麼？
為什麼？
為什麼？
為什麼？
人生在世

為什麼會這麼寂寞呢？

續第②集

文學森林 LF0123

懶懶 1

ダルちゃん①

作者

陽菜檸檬（はるな檸檬）

一九八三年出生於宮崎縣。漫畫家。二〇一〇年以描繪寶塚劇迷日常生活的《ZUCCA×ZUCA》出道。此外還有描寫自己讀書心得的《檸檬的閱讀手札！》（れもん、よむもん！）、描寫自己生產經驗的《檸檬的生產筆記！成為母親》（れもん、うむもん！）、描繪夫婦一起變成寶塚劇迷的漫畫《琢磨與花子：某一天，老公突然迷上了寶塚!?》（タクマとハナコ ある日、夫がヅカヲタに!?）等作品。

譯者

緋華璃

不知不覺，在日文翻譯這條路上踽踽獨行已十年，未能著作等身，但求無愧於心，不負有幸相遇的每一個文字。

封面設計　COSTA MESSA（日本原版設計）
版面構成　陳恩安
內頁排版　黃雅藍
責任編輯　李佳翰
行銷企劃　楊若榆
版權負責　李佳翰、陳柏昌
副總編輯　梁心愉

初版一刷　二〇二〇年三月四日
定價　新台幣二六〇元

ThinKingDom 新経典文化
發行人　葉美瑤
出版　新經典圖文傳播有限公司
地址　臺北市中正區重慶南路一段五七號十一樓之四
電話　02-2331-1830
傳真　02-2331-1831
讀者服務信箱　thinkingdomtw@gmail.com
總經銷　高寶書版集團
地址　臺北市內湖區洲子街八八號三樓
電話　02-2799-2788　傳真　02-2799-0909
海外總經銷　時報文化出版企業股份有限公司
地址　桃園市龜山區萬壽路二段三五一號
電話　02-2306-6842　傳真　02-2304-9301